El planeta Tierra

Leonie Pratt
Diseño: Zöe Wray

Ilustraciones: Andy Tudor
Con la colaboración de Tim Haggerty
Asesora sobre el planeta Tierra: Dra. Gillian Foulger,
Departamento de Ciencias de la Tierra de la Universidad de Durham
Traducción: María Isabel Sánchez Gallego
Redacción en español: Cristina Fernández y Anna Sánchez

Sumario

3 Un hogar en el espacio

4 ¿Por qué en la Tierra?

6 ¡Nos movemos!

8 Cuando el suelo sube

10 Los volcanes

12 Hay rocas... y rocas

14 ¿Qué es un río?

16 El desgaste

18 Las cuevas

20 Frío, frío

22 La costa

24 Las profundidades

26 Calor y polvo

28 Las maravillas de la Tierra

30 Glosario sobre la Tierra

31 Páginas web

32 Índice

Un hogar en el espacio

Vives en la Tierra, uno de los ocho planetas que giran en torno al Sol.

Los expertos creen que la Tierra es el único planeta en el que hay vida.

¿Por qué en la Tierra?

En la Tierra hay vida porque tiene la combinación perfecta de calor, aire y agua.

El Sol da calor al planeta.

Todo ser vivo, ya sea persona, animal o planta, necesita aire para respirar.

Más de la mitad de la Tierra está cubierta de agua. Es imprescindible para la vida.

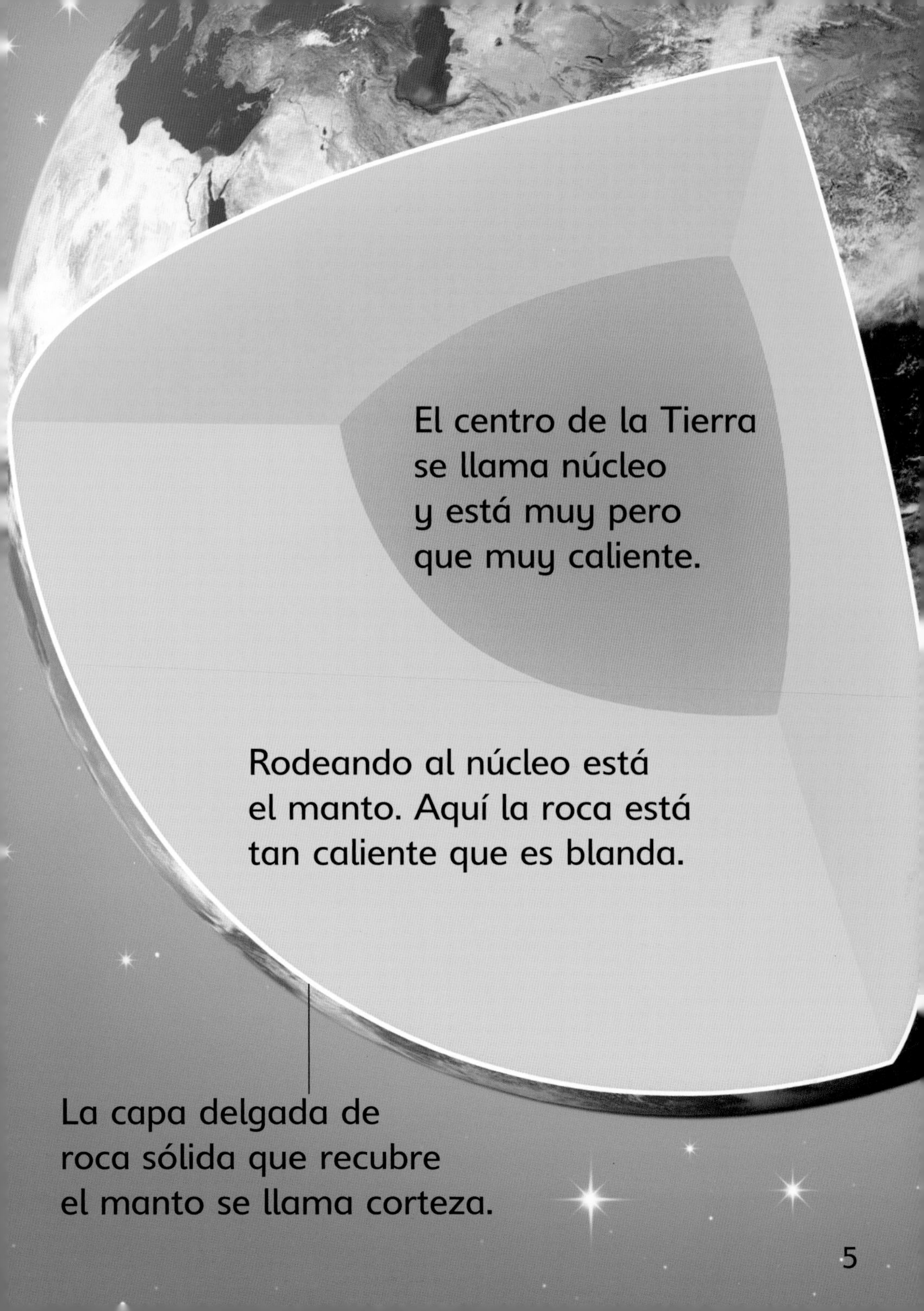

El centro de la Tierra
se llama núcleo
y está muy pero
que muy caliente.

Rodeando al núcleo está
el manto. Aquí la roca está
tan caliente que es blanda.

La capa delgada de
roca sólida que recubre
el manto se llama corteza.

¡Nos movemos!

La corteza de la Tierra se compone de placas.

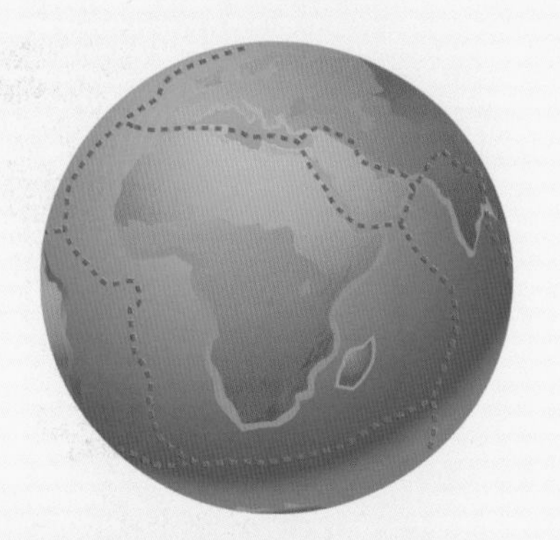

Las placas encajan unas con otras y cubren el planeta.

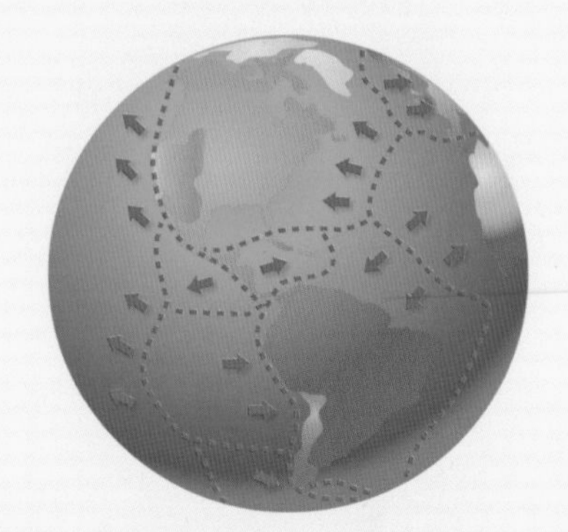

Las placas se van moviendo muy lentamente.

La zona en que dos placas están en contacto se denomina falla.

Dos placas pueden moverse una contra otra sin problema, pero a veces se atascan.

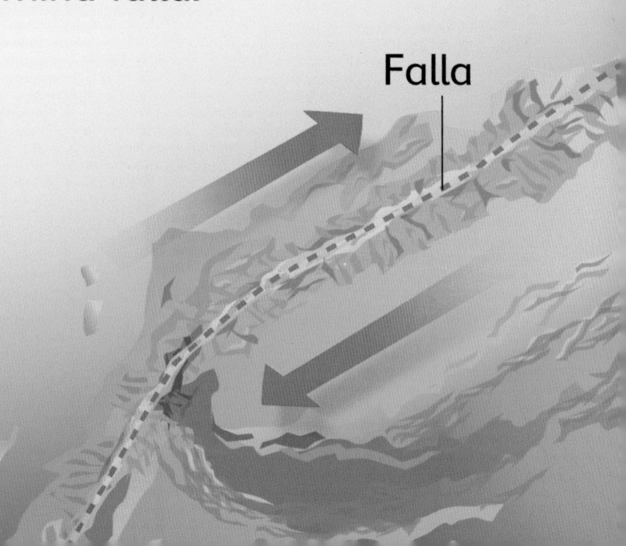

Dos placas atascadas pueden empezar a moverse de repente. Cuando esto ocurre, el suelo tiembla y se resquebraja: es un terremoto.

Un terremoto fuerte puede destruir edificios y levantar carreteras.

Hasta en la luna hay "terremotos", pero estos se llaman sismos lunares.

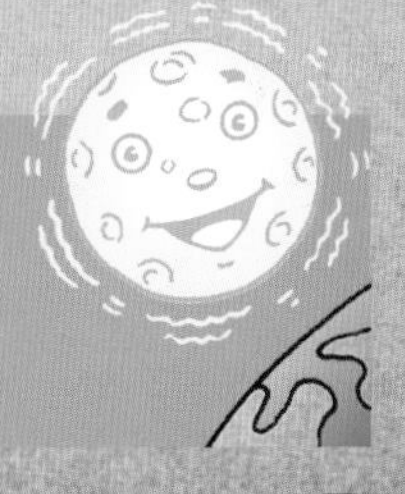

Cuando el suelo sube

En algunos sitios, la corteza empuja la tierra hacia arriba al moverse y se forman montañas.

Las montañas de esta foto son los Alpes, que están en Europa. Han tardado millones de años en alcanzar esta altura.

Algunas montañas, como las del Himalaya, siguen ganando altura año tras año.

En las cumbres siempre hay nieve porque el aire es muy frío.

La cabra montés necesita su denso pelaje para no pasar frío.

Los volcanes

La roca caliente del manto puede llegar a escaparse hacia la superficie entre las grietas de la corteza y formar un volcán.

Esto es un volcán en erupción.

La roca caliente que sale se llama lava.

En Hawái, algunas personas creen que la diosa del fuego vive en un volcán.

No todas las erupciones son iguales.

Hay erupciones violentas
que lazan gas y ceniza
a gran altura.

Hay volcanes que
lanzan trozos de lava
densa y pegajosa.

Otros volcanes echan surtidores
de lava fluida por grietas
que hay en el suelo.

Hay rocas... y rocas

Toda la superficie del planeta está hecha de roca. La hay de tres tipos principales.

La roca metamórfica se forma bajo un calor intenso en lo más hondo de la corteza.

La roca ígnea se forma cuando la lava se enfría y endurece al contacto con el aire.

Las gemas, como el diamante, el rubí o la esmeralda, se encuentran en la roca.

La roca sedimentaria se forma al ir acumulándose y comprimiéndose capas de barro o arena.

Las distintas capas de esta roca forman las bandas que vemos.

¿Qué es un río?

Cuando llueve o nieva en una montaña, la roca dura no puede absorber toda el agua.

El agua baja desde las cumbres en forma de pequeños arroyos.

Al unirse muchos arroyos, se forma un gran río.

El río discurre por la pendiente hasta llegar al mar.

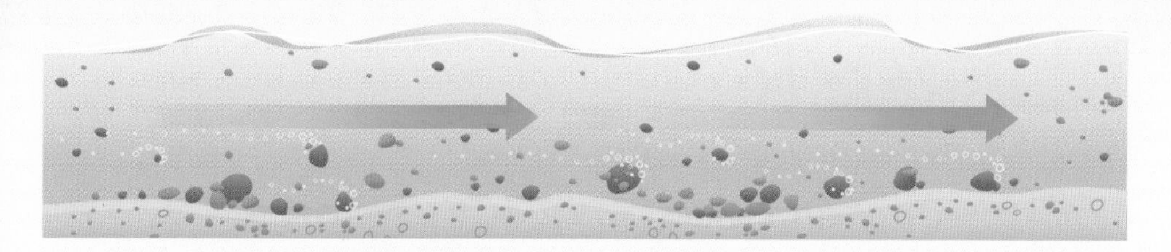

Un río de curso rápido arrastra muchos cantos y guijarros del fondo.

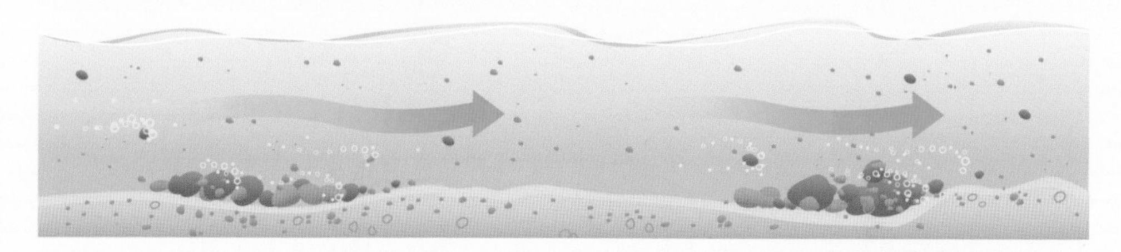

Al hacerse más lento, los cantos más pesados se depositan y el río pasa a arrastrar solo guijarros.

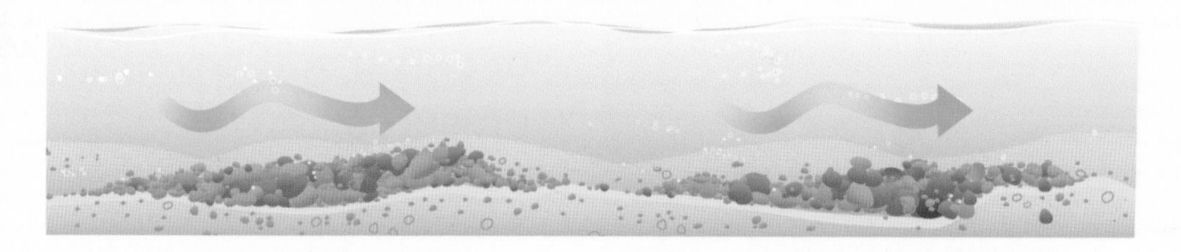

Cerca del mar, el río se vuelve más lento aún y casi todo lo que arrastraba se deposita.

El río Nilo, en África, es el más largo del mundo. Es tan grande que se ve hasta desde el espacio.

El desgaste

Los ríos alteran poco a poco los lugares por donde pasan.

En su camino, el agua del río arrastra piedras y tierra del suelo.

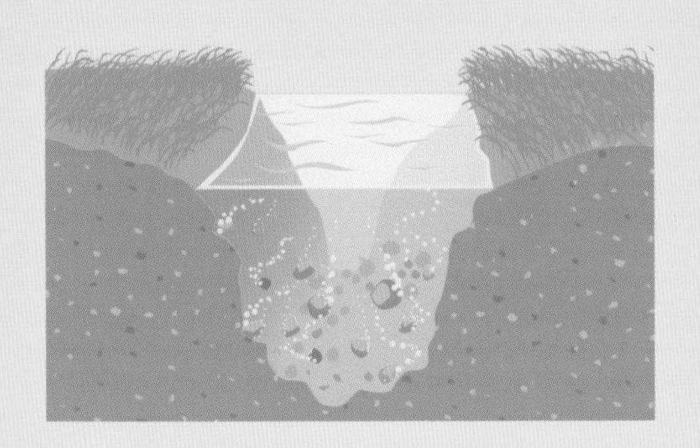

Las piedras, al rodar, desgastan el lecho del río y van cavando un surco.

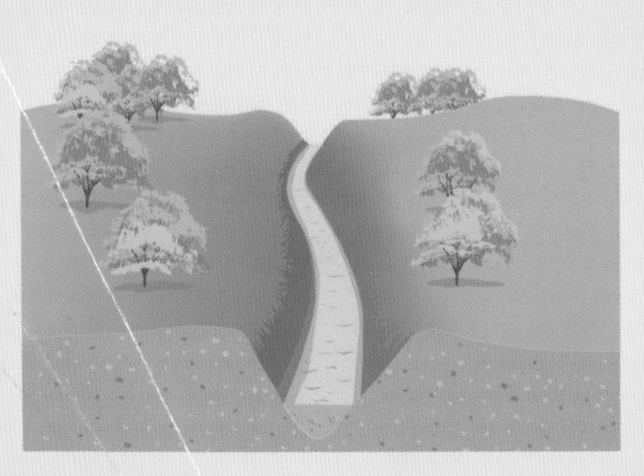

Al cabo de muchos años, el río excava todo un valle en el terreno.

Este es el Gran Cañón, que está en Estados Unidos. El río ha tardado millones de años en cavar esta garganta tan profunda.

Las cuevas

No todos los ríos fluyen por la superficie; también los hay que fluyen bajo tierra. Al desgastar la roca, estos ríos forman cuevas.

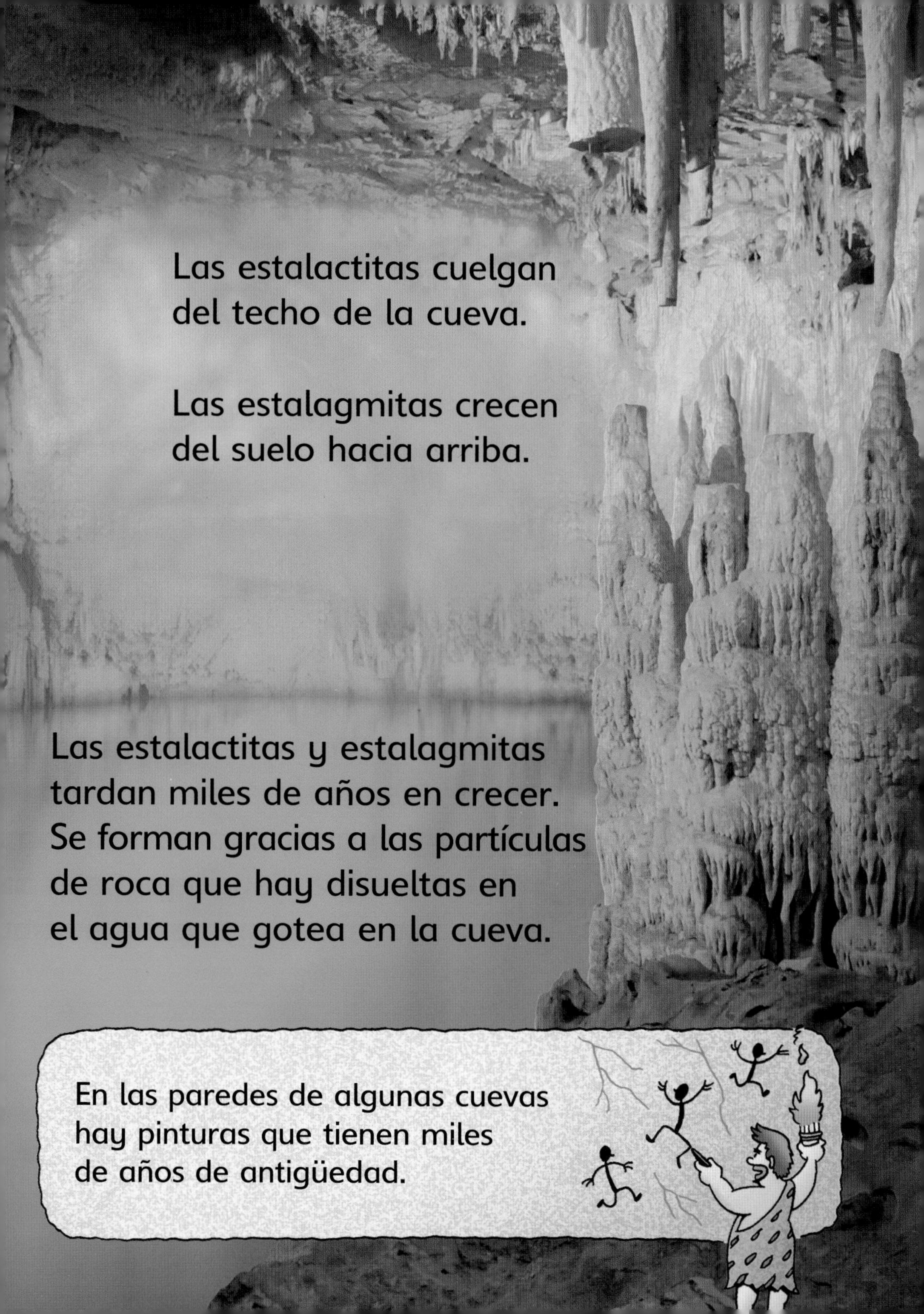

Las estalactitas cuelgan del techo de la cueva.

Las estalagmitas crecen del suelo hacia arriba.

Las estalactitas y estalagmitas tardan miles de años en crecer. Se forman gracias a las partículas de roca que hay disueltas en el agua que gotea en la cueva.

En las paredes de algunas cuevas hay pinturas que tienen miles de años de antigüedad.

Frío, frío

Una parte del agua de la Tierra permanece helada la mayor parte del año.

La Antártida es el lugar más frío del mundo.

Aquí, el suelo está todo cubierto de nieve y hay icebergs flotando en el mar.

1. El hielo se extiende desde la tierra y flota en el mar.

2. El mar, al moverse, hace que el hielo se resquebraje.

En la Antártida el invierno es tan frío que hasta el agua del mar se hiela.

3. La grieta crece y el trozo de hielo acaba por separarse.

4. El trozo de hielo que queda flotando libre se llama iceberg.

La costa

La costa es el punto donde se encuentran la tierra y el mar.

La arena está hecha de moluscos y roca. El mar tritura todo hasta convertirlo en granitos minúsculos que arrastra hasta la playa.

Las olas, al romper
contra el acantilado,
desgastan la roca
y forman un arco.

El centro del arco
se derrumba y queda
una columna de roca
llamada farallón.

Esto es un farallón.

En algunas playas la arena es negra
porque está hecha de roca volcánica.

Las profundidades

El mar cubre más de la mitad de la Tierra y en él viven muchos seres diferentes.

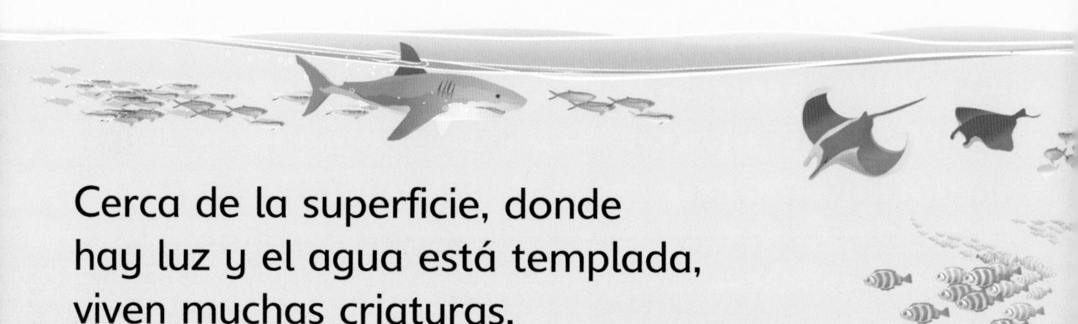

Cerca de la superficie, donde hay luz y el agua está templada, viven muchas criaturas.

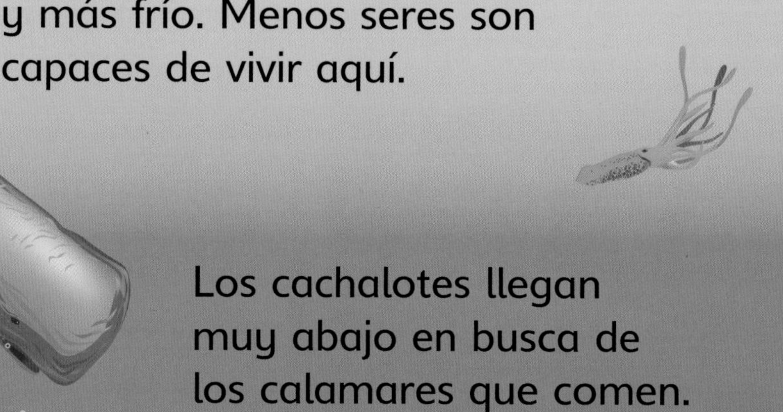

Más abajo, está más oscuro y más frío. Menos seres son capaces de vivir aquí.

Los cachalotes llegan muy abajo en busca de los calamares que comen.

Los científicos utilizan submarinos como este para poder bajar hasta lo más hondo y explorar el lecho marino.

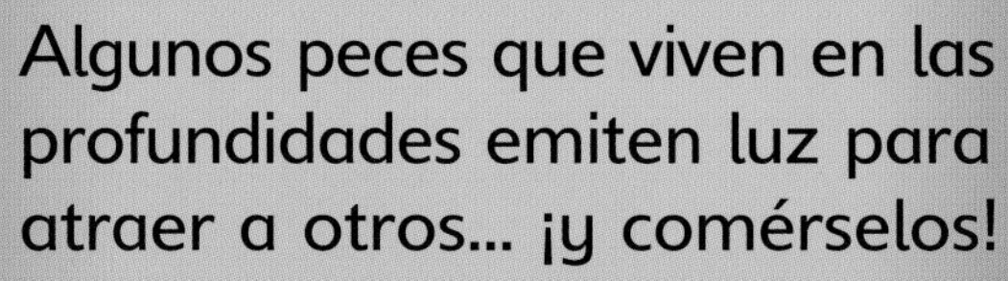

Algunos peces que viven en las profundidades emiten luz para atraer a otros... ¡y comérselos!

Calor y polvo

Los desiertos son los lugares más secos del planeta. Reciben muy poca lluvia y el suelo es seco y polvoriento.

El desierto del Sáhara, en África, es uno de los mayores del mundo.

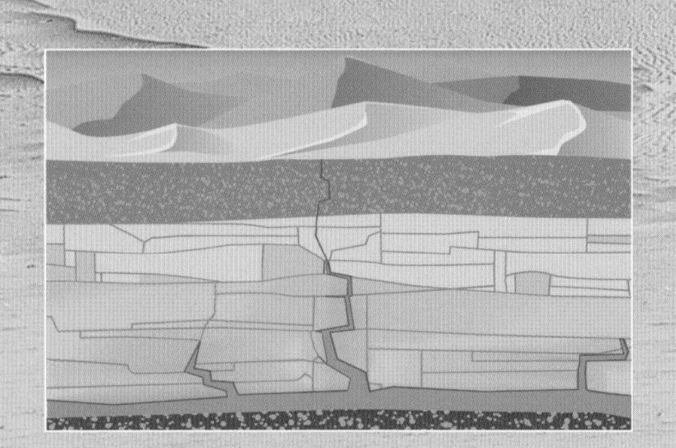

1. También en los desiertos el agua se acumula bajo tierra.

2. Si se acumula suficiente agua, se forma un estanque.

Los animales que viven en el desierto pasan el día bajo tierra para evitar el calor y salen a alimentarse de noche.

3. En torno al estanque crecen plantas. Esto se llama oasis.

4. La gente que viaja por el desierto suele parar en los oasis.

Las maravillas de la Tierra

El planeta Tierra es un lugar asombroso.

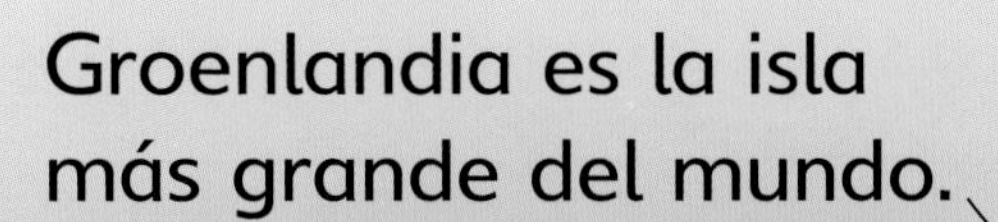

Groenlandia es la isla más grande del mundo.

América del Norte

El Salto de Ángel, en Venezuela, es la cascada más alta del mundo. Tiene 979 m de altura.

América del Sur

Hay zonas del desierto de Atacama, en Chile, que pasaron 400 años sin ver la lluvia.

El monte Everest es el punto más alto del planeta. Tiene 8.850 m de altura.

El punto más profundo de la fosa de las Marianas está a unos 11.000 m bajo el nivel del mar.

La Antártida es el lugar más frío de la Tierra. Se han registrado hasta 89 °C bajo cero.

Glosario sobre la Tierra

A continuación, te explicamos el significado de algunas palabras que aparecen en el libro y que puede que no conozcas.

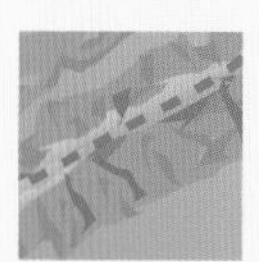

falla: el lugar donde se encuentran dos placas de la corteza terrestre.

erupción: cuando un volcán expulsa roca hacia la superficie.

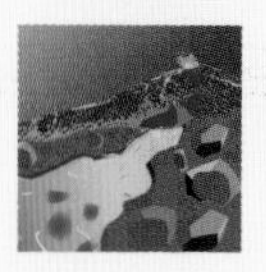

lava: roca fundida al rojo vivo que ha salido de un volcán.

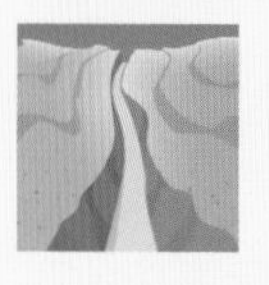

garganta: valle profundo de laderas empinadas que ha excavado un río.

iceberg: enorme pedazo de hielo que flota en el mar, sumergido en su mayor parte.

desierto: lugar que apenas recibe lluvia en todo el año.

oasis: estanque que forma en un desierto el agua subterránea al aflorar.

Páginas web

Si tienes ordenador, puedes averiguar muchas más cosas sobre la Tierra en Internet. En la página web Quicklinks de Usborne (en inglés) encontrarás enlaces a sitios muy interesantes.

Para visitar las páginas que se proponen, entra en **www.usborne-quicklinks.com** y selecciona este libro. Luego haz clic en el sitio web que quieras ver.

Usborne revisa los sitios web y actualiza los links con regularidad. Sin embargo, no se hace responsable de la información o disponibilidad de sitios ajenos a la editorial.

Recomendamos que se supervise a los niños mientras navegan por Internet.

Estas formaciones rocosas están en Monument Valley, en Estados Unidos.

Índice

África, 15, 26, 29
América del Norte, 17, 28, 31
Antártida, 20, 21, 29
arena, 13, 22, 23
corteza, 5, 6, 8, 10, 12
costa, 22-23
cuevas, 18-19
desgaste, 16-17, 18, 23
desiertos, 26-27, 28, 30
Europa, 8-29
fallas, 6-30
icebergs, 20-21, 30
lava, 10, 11, 12, 30
manto, 5, 10
mar, 14, 15, 20, 21, 22, 23, 24-25, 29, 30
montañas, 8-9, 14, 29
núcleo, 5
ríos, 14-15, 16, 17, 18, 30
rocas, 5, 8, 10, 12-13, 14, 18, 19, 22, 23, 26, 30
Sol, 3, 4
terremotos, 6-7
volcanes, 10-11, 12, 23, 30

Agradecimientos

Diseño con la colaboración de Helen Wood y Erica Harrison
Ilustración de las páginas 28-29 (mapa): Craig Asquith, European Map Graphics Ltd.
Manipulación fotográfica: John Russell

Fotografías
Usborne agradece a los organismos y personas que a continuación se citan la autorización concedida para reproducir el material fotográfico utilizado.
© BRUCE COLEMAN INC./Alamy cubierta; © Digital Vision 31; © Frans Lemmens/zefa/Corbis 26-27; © Gabe Palmer/CORBIS 1; © Henry Westheim Photography/Alamy 7; © image broker/Alamy 18-19; © Jim Sugar/Corbis 10; © Joel Simon/Digital Vision 20-21; © Joseph Sohm/Visions of America/Corbis 13; © Marc Garanger/CORBIS 8-9; © Michael Howard/Alamy 22-23; © NASA 2-3, 5; © Fotografía de Rod Catanach, Woods Hole Oceanographic Institution 25; © Ron Watts/CORBIS 17